ROSCOE Y ROLLY LOS PERROS DEL CIRCO

Roscoe y Rolly los Perros del Circo

Relato de **Tuula Pere**
Ilustraciones de **Francesco Orazzini**
Diseño de **Peter Stone**
Traducido al español por **Maria Fuentes**

ISBN 978-952-325-069-7 (Hardcover)
ISBN 978-952-325-567-8 (Softcover)
ISBN 978-952-325-611-8 (ePub)
Segunda Edición

Derechos Reservados © 2021 Wickwick Ltd

Publicado en 2021 por Wickwick Ltd
Helsinki, Finlandia

Circus Dogs Roscoe and Rolly, Spanish Translation

Story by **Tuula Pere**
Illustrations by **Francesco Orazzini**
Layout by **Peter Stone**
Spanish translation by **Maria Fuentes**

ISBN 978-952-325-069-7 (Hardcover)
ISBN 978-952-325-567-8 (Softcover)
ISBN 978-952-325-611-8 (ePub)
Second edition

Copyright © 2021 Wickwick Ltd

Published 2021 by Wickwick Ltd
Helsinki, Finland

Originally published in Finland by Wickwick Ltd in 2015
Finnish "Sirkuskoirat Roope ja Rops", ISBN 978-952-325-058-1 (Hardcover), ISBN 978-952-325-558-6 (ePub)
English "Circus Dogs Roscoe and Rolly", ISBN 978-952-325-057-4 (Hardcover), ISBN 978-952-325-557-9 (ePub)

Wickwick books are available at special discounts when purchased in quantity for premiums and promotions as well as fundraising or educational use. Special editions can also be created to specification. For details, contact specialsales@wickwick.fi.

Roscoe y Rolly los Perros del Circo

Tuula Pere • Francesco Orazzini

WickWick
Children's Books from the Heart

Roscoe, un viejo perro de circo, se asomó a través de la cortina en las gradas brillantemente iluminadas. Las bancadas estaban llenas de alegres multitudes esperando ansiosamente que iniciara el show.

Roscoe estaba contento de ver tantos niños en el público esta noche. El viejo perro disfrutaba mostrando sus mejores trucos en especial a los más pequeños. A pesar de su edad, él todavía estaba interesado en participar. Lo que hacía su vida aún más divertida era que ahora tenía una pequeña aprendiz, una cachorrita llamada Rolly.

Y ahora Rolly también
estaba olfateando el
aire lleno de aromas emocionantes,
agitando su pequeña cola de un lado a
otro

3

Roscoe y Rolly hacían una espléndida pareja. Poco a poco se habían intercambiado los trucos entre ellos. Rolly, quien era alegre y animada, se había apoderado de los que requieren agilidad. Ella era ahora quien hacía equilibrio sobre las altas barras y quien saltaba ligera a través de los aros ardientes.

4

El viejo Roscoe estaba contento con poder concentrarse en los trucos más tranquilos, especialmente en aquellos en los que pudiera sentarse cómodamente en un cojín y dar suaves ladridos en respuesta a las preguntas. Roscoe todavía tenía una buena cabeza para los números.

Roscoe y Rolly eran de razas cruzadas, sin ningún tipo de pomposo pedigrí o de premios. Sin embargo, ambos poseían algo que era mucho más valioso - un corazón de oro. Los rodeaba un aire de bondad y sus divertidos trucos realmente agradaban a los niños. Y eso, a su vez, era apreciado por el Director del circo, ya que la muchedumbre satisfecha significaba crecientes ganancias en la taquilla.

Roscoe sabía que el Director era un hombre dulce, pero había que admitir que bastante tacaño. Cada uno de los miembros del circo tenía que ganarse su salario.

"A nadie se le paga a cambio de nada", solía decir a menudo el Director.

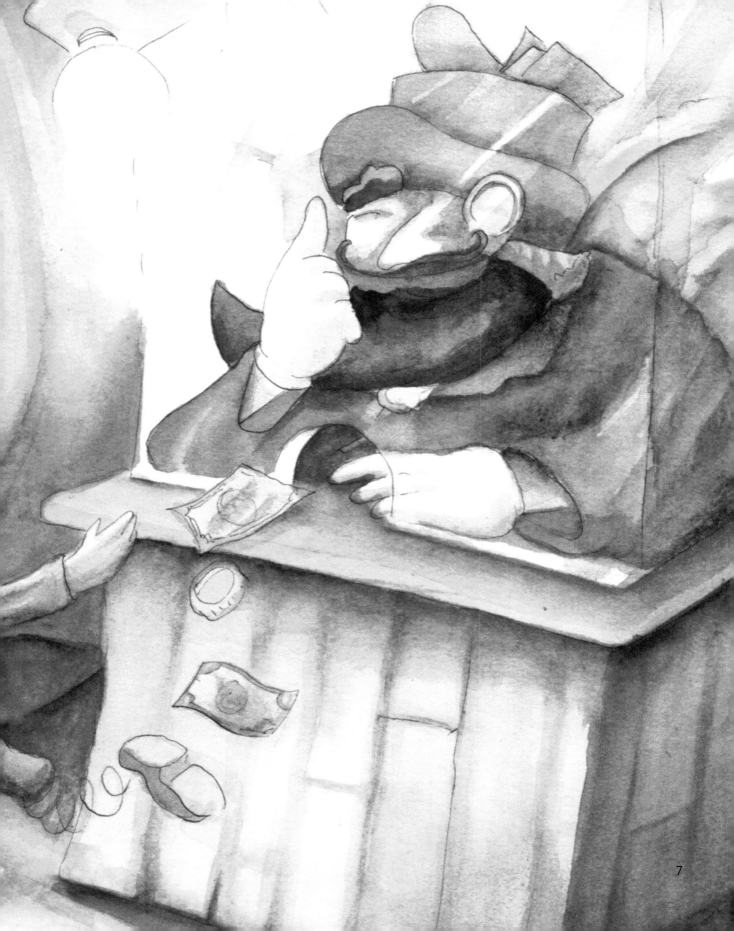

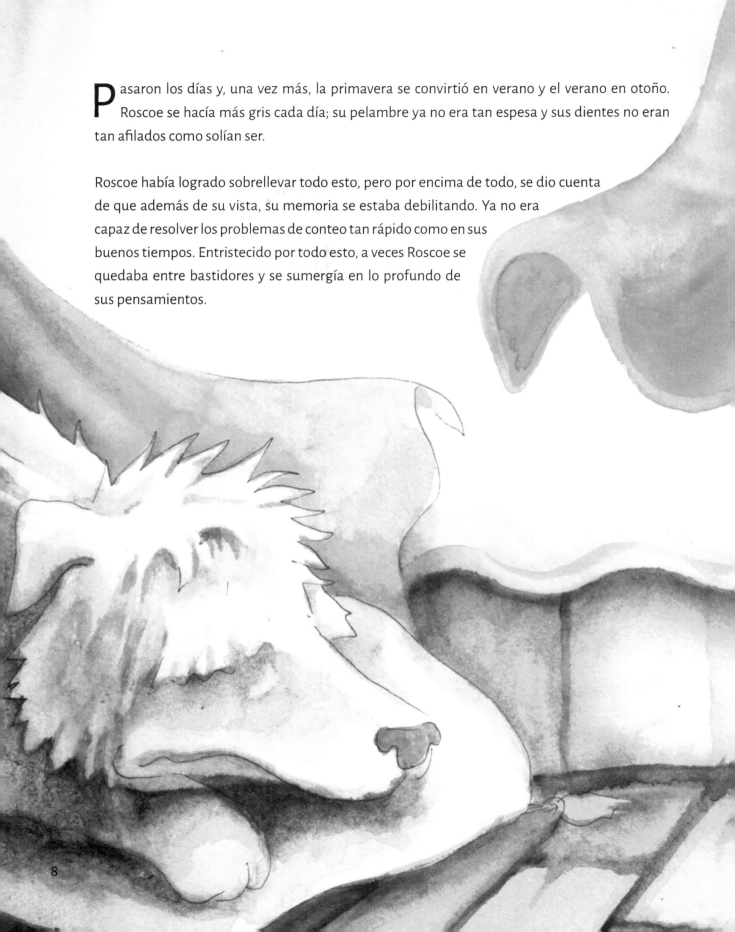

Pasaron los días y, una vez más, la primavera se convirtió en verano y el verano en otoño. Roscoe se hacía más gris cada día; su pelambre ya no era tan espesa y sus dientes no eran tan afilados como solían ser.

Roscoe había logrado sobrellevar todo esto, pero por encima de todo, se dio cuenta de que además de su vista, su memoria se estaba debilitando. Ya no era capaz de resolver los problemas de conteo tan rápido como en sus buenos tiempos. Entristecido por todo esto, a veces Roscoe se quedaba entre bastidores y se sumergía en lo profundo de sus pensamientos.

8

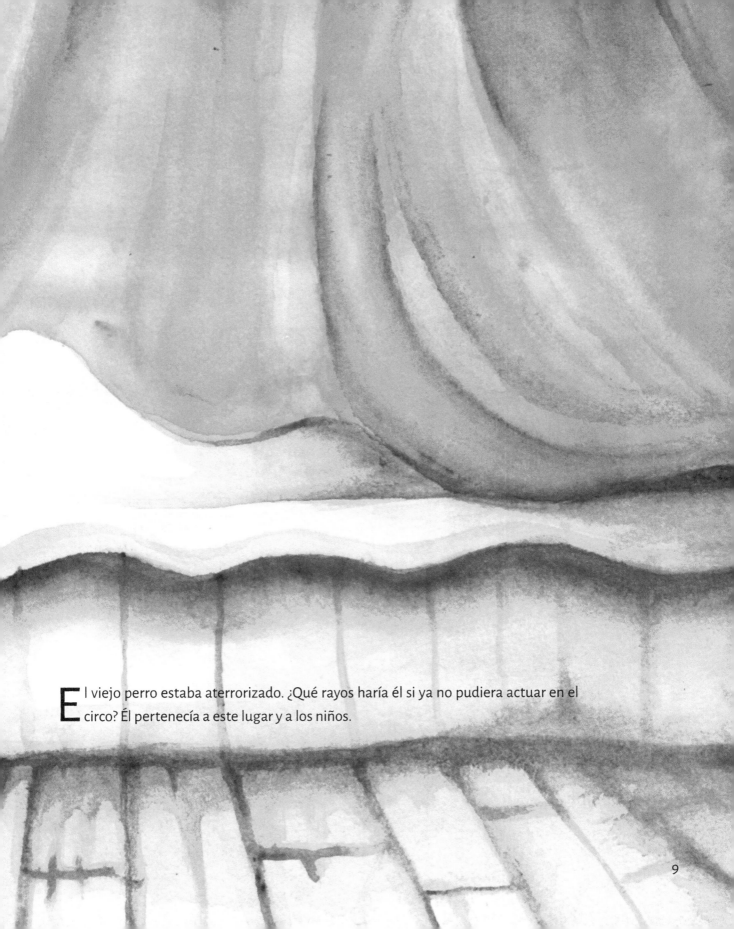

El viejo perro estaba aterrorizado. ¿Qué rayos haría él si ya no pudiera actuar en el circo? Él pertenecía a este lugar y a los niños.

Por suerte Roscoe tenía allí a la pequeña y animada cachorrita Rolly para ayudarlo. Ella estaba en camino de convertirse en una maravillosa compañera en los espectáculos. Sin embargo, la joven Rolly todavía necesitaba el apoyo de un compañero con más experiencia.

10

Rolly era por naturaleza una estudiante rápida y llena de vida. Pero a veces, se notaba por la posición de sus orejas y de su cola, que estaba nerviosa al momento de presentarse frente a la multitud. Cada vez que esto ocurría, la asistencia y el consejo del viejo y calmado Roscoe resultaban de gran ayuda.

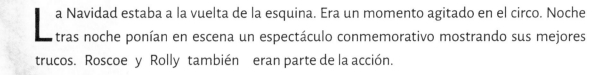

La Navidad estaba a la vuelta de la esquina. Era un momento agitado en el circo. Noche tras noche ponían en escena un espectáculo conmemorativo mostrando sus mejores trucos. Roscoe y Rolly también eran parte de la acción.

La joven Rolly hacía equilibrio sobre las barras. Estaba entusiasmada con los trucos llenos de acción. El viejo Roscoe tenía que participar en los juegos de bloques, en los juegos de pelota y en los problemas con el ábaco. Contar siempre había sido uno de sus puntos fuertes.

Sin embargo, Roscoe estaba sobrecogido por la preocupación. Él se estaba poniendo muy viejo y algunos de los juegos que le eran familiares se le escapaban de la mente. En momentos como estos, se encontraba a sí mismo confuso en medio de la arena, con la mirada perdida y encandilado por los luminosos reflectores. El viejo perro se iba poniendo cada vez más nervioso al salir a la iluminada escena.

Ahora era nuevamente el turno de Roscoe. Comenzó su brillante acto: el cálculo mental. Por lo general los números eran una obviedad para él, pero entonces pasó algo bastante triste.

El entrenador de perros lanzaba rápidamente a Roscoe una ecuación tras otra. El primer par de ellas las abordó con facilidad. Roscoe daba las respuestas correctas con sus ladridos o buscando las respuesta en los números de las gradas. El público lo premiaba con aplausos. Pero de pronto todo se salió de control.

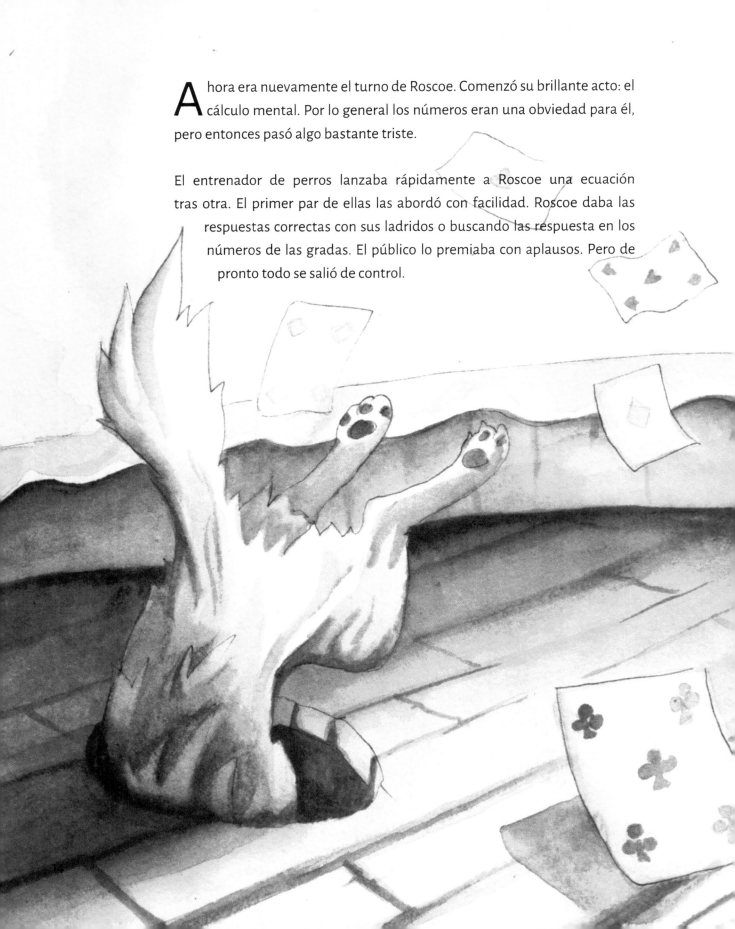

La cabeza de Roscoe era como un carrusel donde las preguntas se arremolinaban salvajemente y no lograba dar con las respuestas correctas. Avergonzado, finalmente Roscoe huyó de la escena dejando a Rolly terminar el acto sola, por su cuenta.

El espectáculo llegó a su fin y la gente se retiró de la carpa del circo. El viejo Roscoe había quedado como ausente después de su fallida actuación. Rolly comenzó a preocuparse cuando no pudo encontrar a su amigo en ningún lugar.

Eventualmente todo el circo se calmó y los artistas se retiraron a sus carros. Roscoe estaba acurrucado detrás de un baúl de gran tamaño que se encontraba en la parte posterior de la arena. Su mente estaba tan oscura como la vacía carpa del circo.

La pequeña Rolly no se daba por vencida. Con una antorcha en la boca se paseó por todo el circo hasta que encontró al viejo perro en su escondite.

Rolly logró convencer a su amigo para regresar a descansar en la perrera. Allí, a la luz de las antorchas, se quedaron hasta muy entrada la noche tratando de encontrar la manera de resolver el problema de Roscoe.

"Ya no puedo aprender nuevos trucos y parece que tampoco puedo recordar los viejos" Suspiró Roscoe resignado.

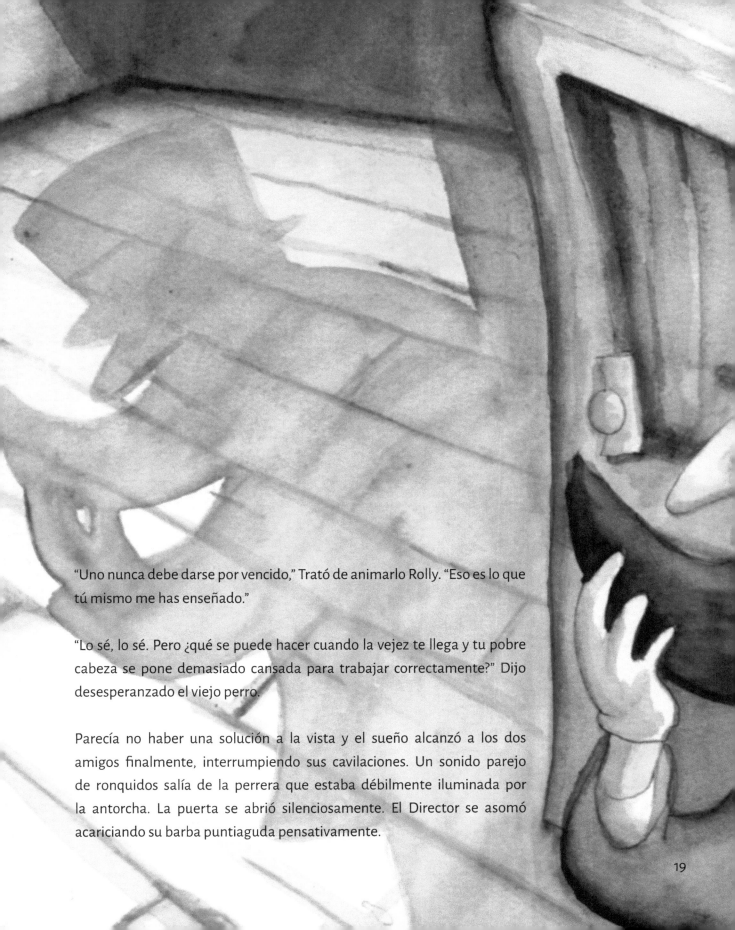

"Uno nunca debe darse por vencido," Trató de animarlo Rolly. "Eso es lo que tú mismo me has enseñado."

"Lo sé, lo sé. Pero ¿qué se puede hacer cuando la vejez te llega y tu pobre cabeza se pone demasiado cansada para trabajar correctamente?" Dijo desesperanzado el viejo perro.

Parecía no haber una solución a la vista y el sueño alcanzó a los dos amigos finalmente, interrumpiendo sus cavilaciones. Un sonido parejo de ronquidos salía de la perrera que estaba débilmente iluminada por la antorcha. La puerta se abrió silenciosamente. El Director se asomó acariciando su barba puntiaguda pensativamente.

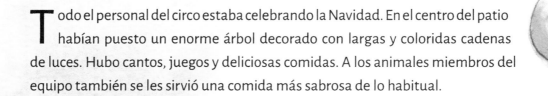

Todo el personal del circo estaba celebrando la Navidad. En el centro del patio habían puesto un enorme árbol decorado con largas y coloridas cadenas de luces. Hubo cantos, juegos y deliciosas comidas. A los animales miembros del equipo también se les sirvió una comida más sabrosa de lo habitual.

Roscoe no tenía apetito alguno. Él acababa de enterarse de que un nuevo número se iba a introducir en la celebración del final de la temporada. Rolly debutaría en el papel principal en el número de los perros. Roscoe sólo tendría un papel menor como asistente.

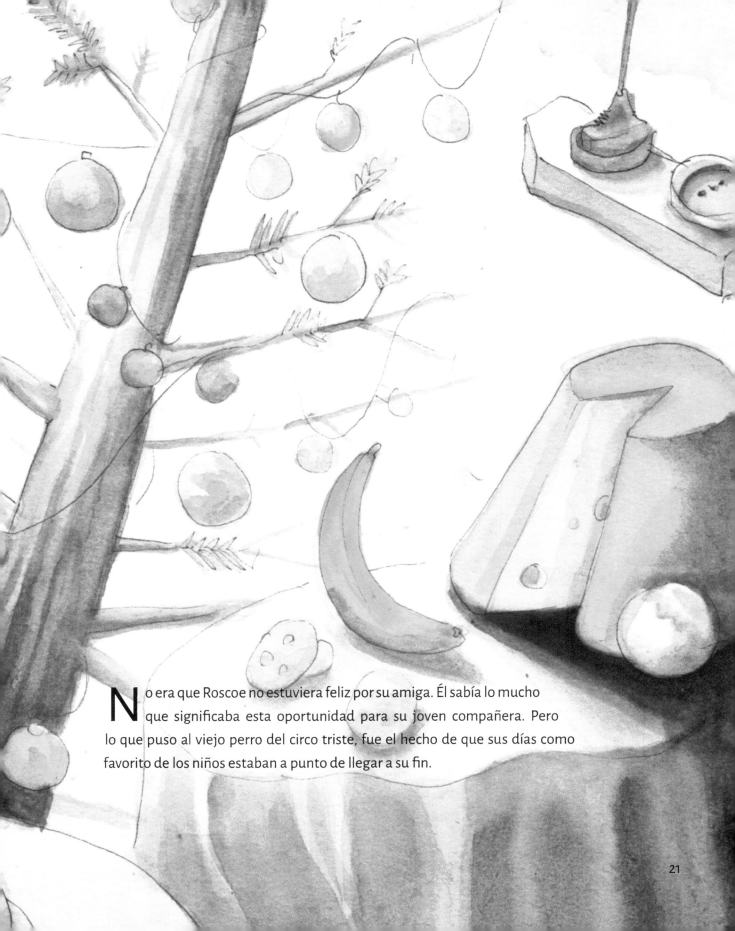

No era que Roscoe no estuviera feliz por su amiga. Él sabía lo mucho que significaba esta oportunidad para su joven compañera. Pero lo que puso al viejo perro del circo triste, fue el hecho de que sus días como favorito de los niños estaban a punto de llegar a su fin.

La presentación del espectáculo del circo fue magnífica, más que nunca. Gritos de alegría llenaron el aire. Los niños vitoreaban y aplaudían con emoción. Incluso los adultos se sentían jóvenes otra vez admirando las increíbles acrobacias de los artistas.

Rolly, la nueva estrella, fue tomando el centro de atención. La joven cachorra disfrutaba cada momento. Contento, el viejo Roscoe observaba la presentación de su aprendiz. Ella simplemente se dejaba llevar. Rolly había encontrado claramente su vocación.

Cuando el espectáculo estaba llegando a su fin, sucedió algo inesperado. Una mujer alarmada corrió a la escena pidiendo hablar con el Director.

La audiencia quedó en silencio. El Director se aclaró la garganta y tomó el micrófono.

"Queridos amigos. Necesitamos la ayuda de todos en este momento ", dijo seriamente "La hija de esta señora ha desaparecido. Vamos todos a buscarla."

La tienda estaba llena de charla y alboroto. El público se dividió para buscar a la niña desaparecida. Se paseaban de un lado a otro, aquí y allá, adentro y afuera. Todos ellos hicieron todo lo posible, pero no había ni rastro de la niña.

La madre ansiosa cruzó el patio y corrió muchas veces alrededor de la tienda. Por último, se echó a llorar y oprimió su mejilla contra el suave conejito de su bebé.

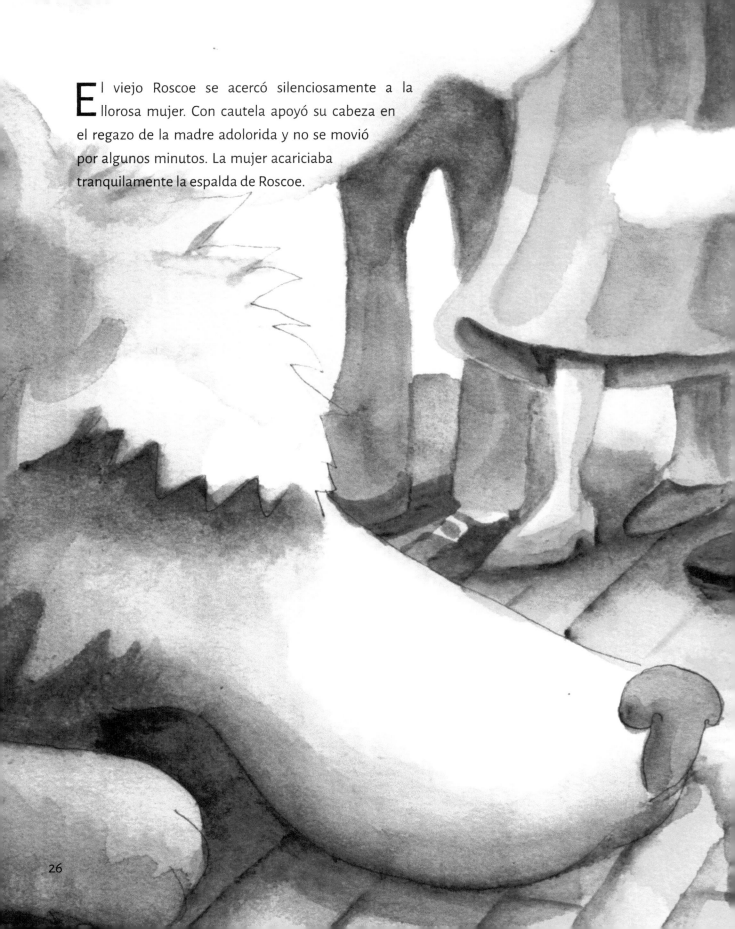

El viejo Roscoe se acercó silenciosamente a la llorosa mujer. Con cautela apoyó su cabeza en el regazo de la madre adolorida y no se movió por algunos minutos. La mujer acariciaba tranquilamente la espalda de Roscoe.

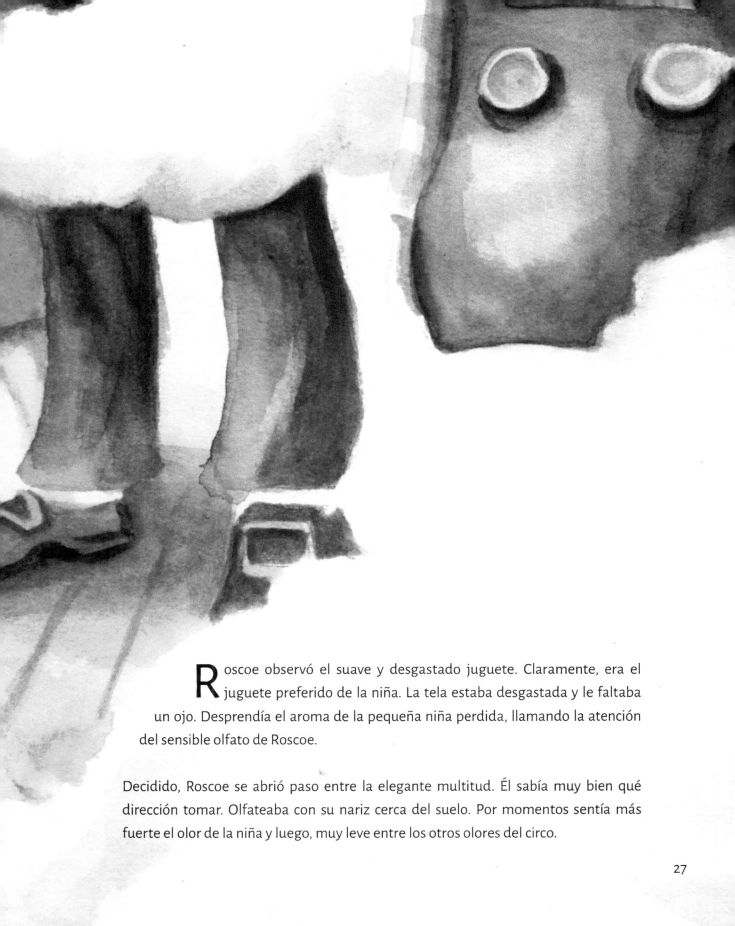

Roscoe observó el suave y desgastado juguete. Claramente, era el juguete preferido de la niña. La tela estaba desgastada y le faltaba un ojo. Desprendía el aroma de la pequeña niña perdida, llamando la atención del sensible olfato de Roscoe.

Decidido, Roscoe se abrió paso entre la elegante multitud. Él sabía muy bien qué dirección tomar. Olfateaba con su nariz cerca del suelo. Por momentos sentía más fuerte el olor de la niña y luego, muy leve entre los otros olores del circo.

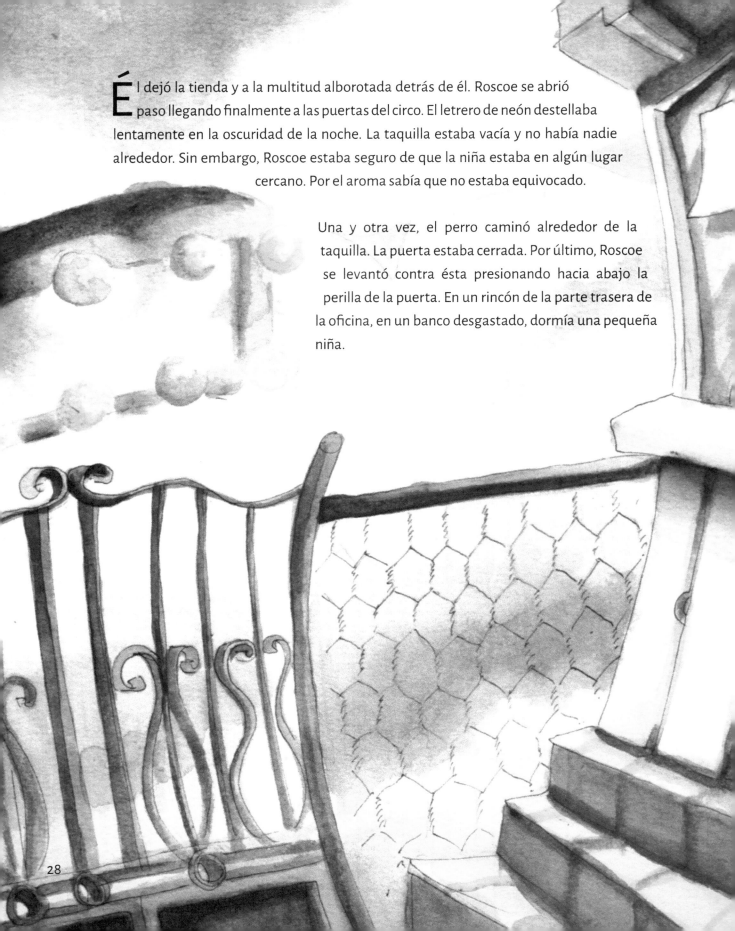

Él dejó la tienda y a la multitud alborotada detrás de él. Roscoe se abrió paso llegando finalmente a las puertas del circo. El letrero de neón destellaba lentamente en la oscuridad de la noche. La taquilla estaba vacía y no había nadie alrededor. Sin embargo, Roscoe estaba seguro de que la niña estaba en algún lugar cercano. Por el aroma sabía que no estaba equivocado.

Una y otra vez, el perro caminó alrededor de la taquilla. La puerta estaba cerrada. Por último, Roscoe se levantó contra ésta presionando hacia abajo la perilla de la puerta. En un rincón de la parte trasera de la oficina, en un banco desgastado, dormía una pequeña niña.

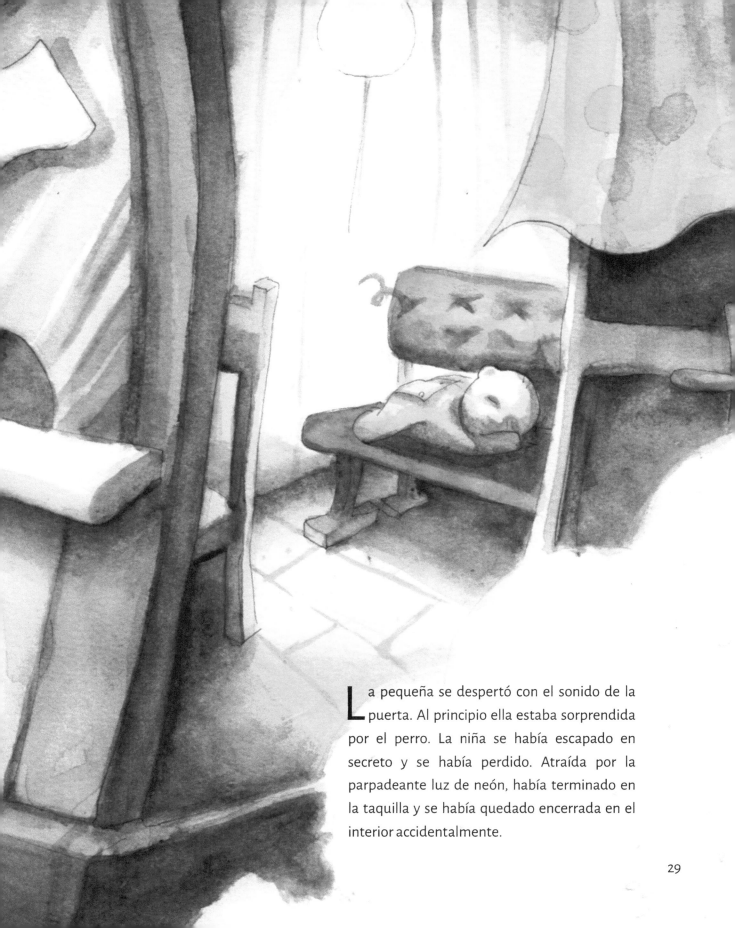

La pequeña se despertó con el sonido de la puerta. Al principio ella estaba sorprendida por el perro. La niña se había escapado en secreto y se había perdido. Atraída por la parpadeante luz de neón, había terminado en la taquilla y se había quedado encerrada en el interior accidentalmente.

Roscoe, siempre tan amable, logró calmar a la niña. El perro divisó un abrigo en el perchero dejado por un vendedor de entradas y suavemente lo puso sobre la pequeña fugitiva. Luego salió y comenzó a ladrar en tono alto. Él no se detendría hasta llamar la atención de todos quienes buscaban a la niña.

La madre y el Director fueron los primeros en llegar a la puerta. La alegría y el alivio fueron abrumadores cuando la madre tuvo a su pequeña niña en brazos. Roscoe estaba contento mirándoles desde un lado.

"Gracias, leal perro", suspiró la mujer y palmeó a Roscoe. "Eres un verdadero héroe. Este circo debe estar orgulloso de ti".

"Así es" respondió complacido el Director. "Le puedo asegurar que Roscoe, nuestro perro héroe, siempre tendrá un lugar en este circo. Los niños lo necesitan".

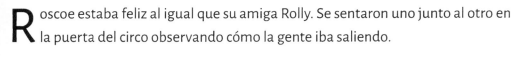

Roscoe estaba feliz al igual que su amiga Rolly. Se sentaron uno junto al otro en la puerta del circo observando cómo la gente iba saliendo.

Los compañeros estaban llenos de alegría por poder seguir trabajando juntos en el circo. Roscoe con seguridad, sería de utilidad en un montón de tareas allí. Con tal sentido del olfato tan desarrollado, podría solucionar todo tipo de divertidos problemas y sorprender a la multitud.

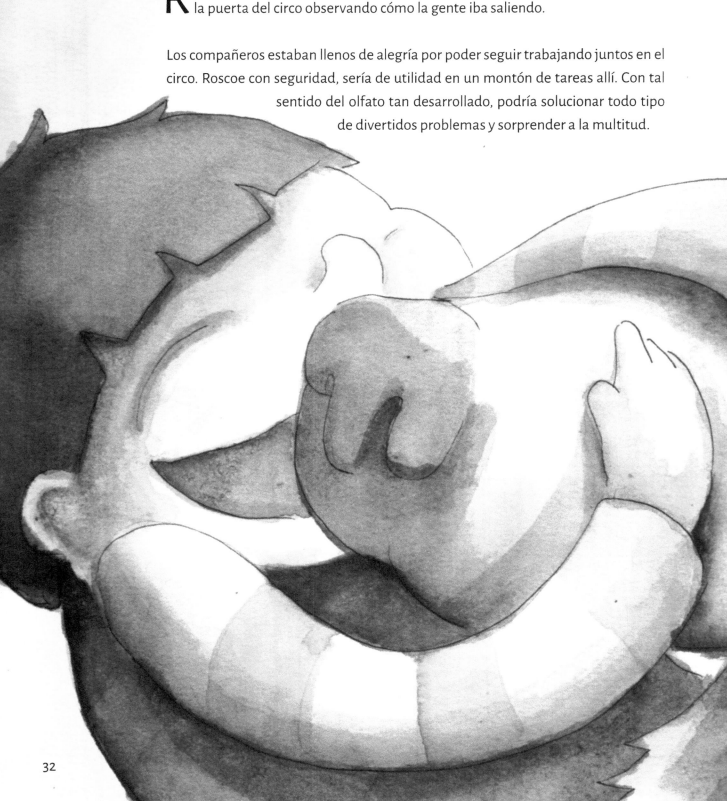

La avanzada edad había debilitado la vista de Roscoe, pero su sentido del olfato era tan sensible como siempre. El olor de un niño, en particular, era algo que nunca olvidaría sin importar su edad.

Lightning Source UK Ltd.
Milton Keynes UK
UKHW050823090223
416624UK00003B/365